APRENDE A DIBUJAR
LA SELVA

edebé

D1402389

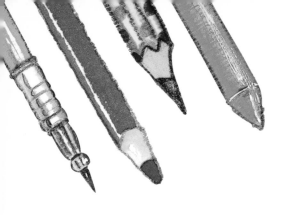

SUMARIO

2

INTRODUCCIÓN

Para representar el mundo que nos rodea, podemos empezar
con una de las herramientas más sencillas: el lápiz.
Existen muchos tipos:
duro, blando, muy blando, graso, pastel, acuarela…

4

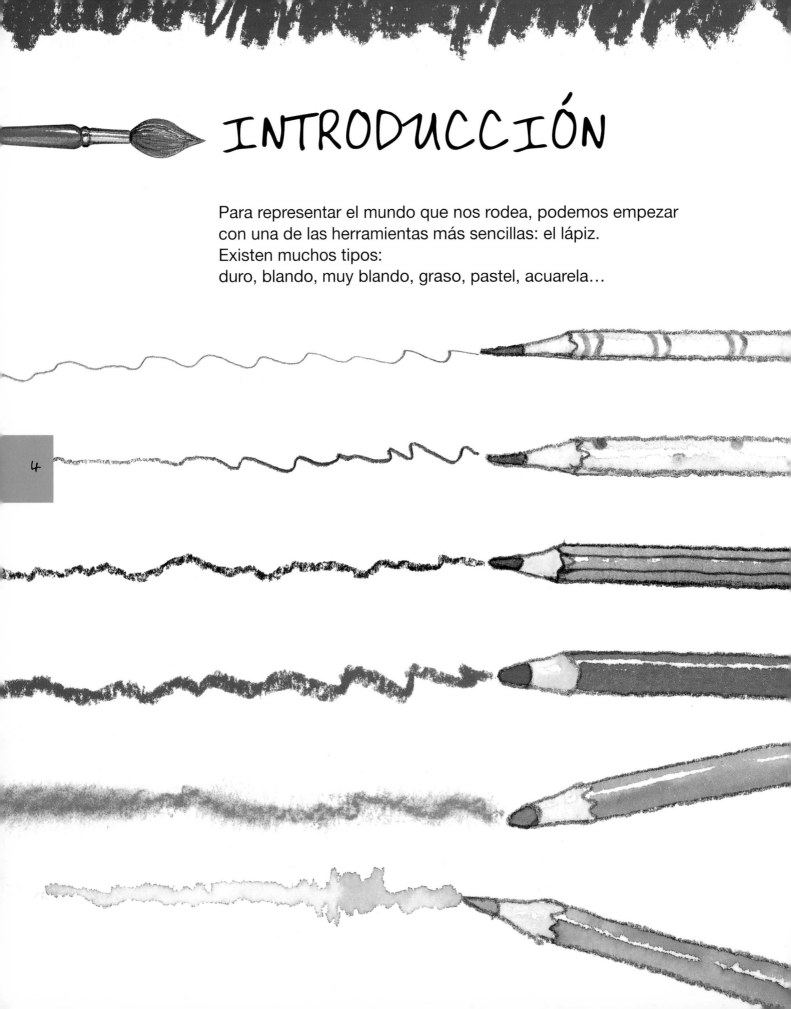

Coge diferentes tipos de papel e intenta hacer algunas pruebas
para ver qué descubres y cómo te sientes.
También puedes utilizar ceras, pinturas al temple, tintes y algún
material original como esmalte de uñas, zumo de zanahoria, café…

¿Cuál es el material
que más te atrae?

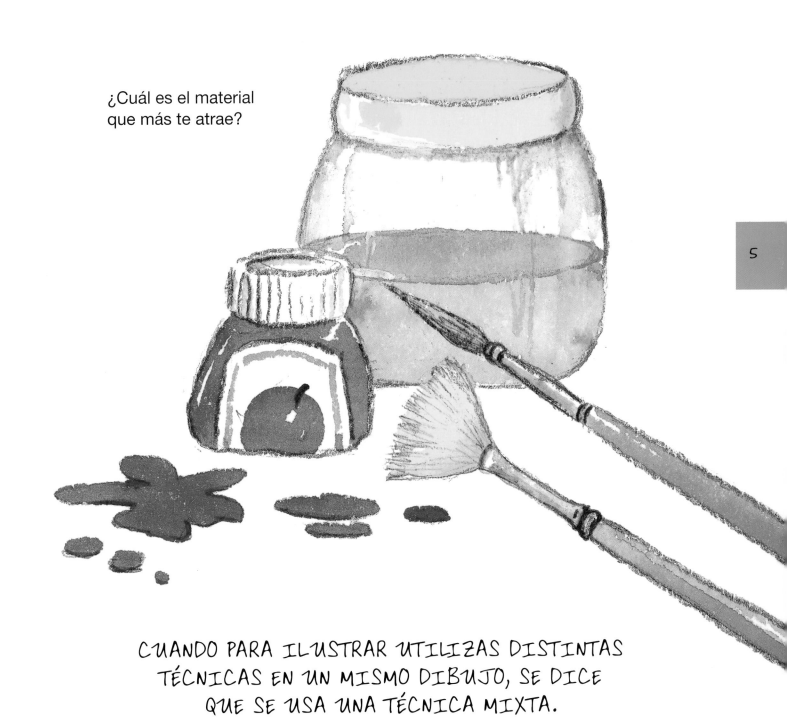

CUANDO PARA ILUSTRAR UTILIZAS DISTINTAS
TÉCNICAS EN UN MISMO DIBUJO, SE DICE
QUE SE USA UNA TÉCNICA MIXTA.

VEGETACIÓN

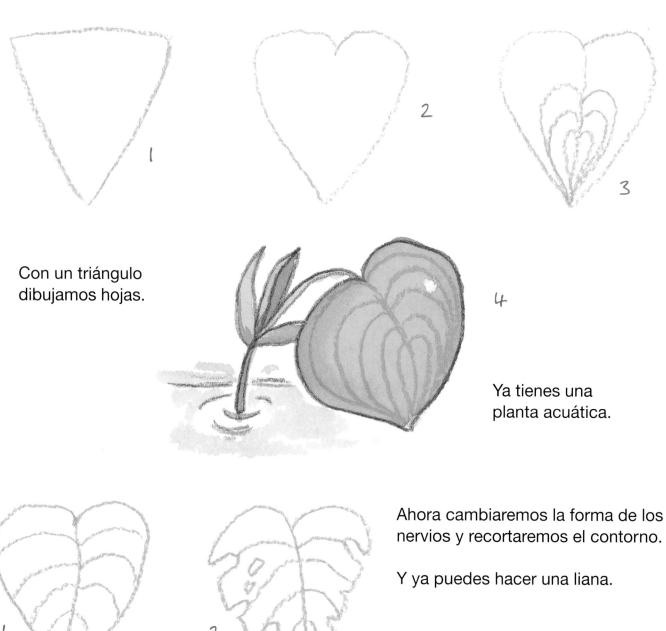

Con un triángulo
dibujamos hojas.

Ya tienes una
planta acuática.

Ahora cambiaremos la forma de los
nervios y recortaremos el contorno.

Y ya puedes hacer una liana.

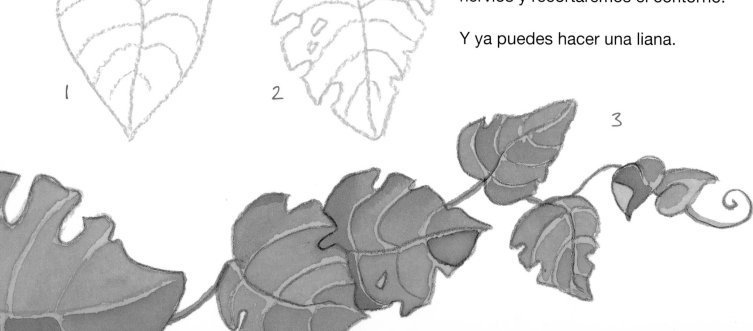

Cerca del agua puedes
dibujar algunas cañas
de bambú.

OBSERVA:
Al dibujar las cañas debes
tener en cuenta que suelen
estar muy juntas, una al lado
de la otra.

Si dibujas juncos,
recuerda que sus
hojas son muy largas.

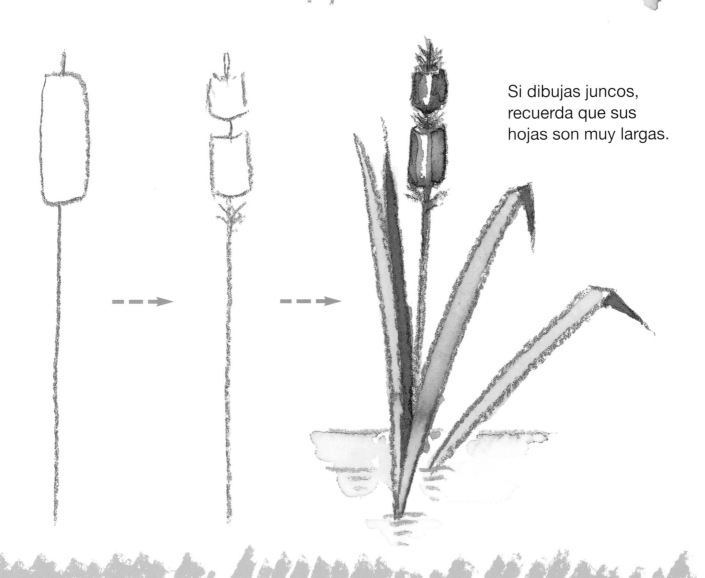

ÁRBOLES

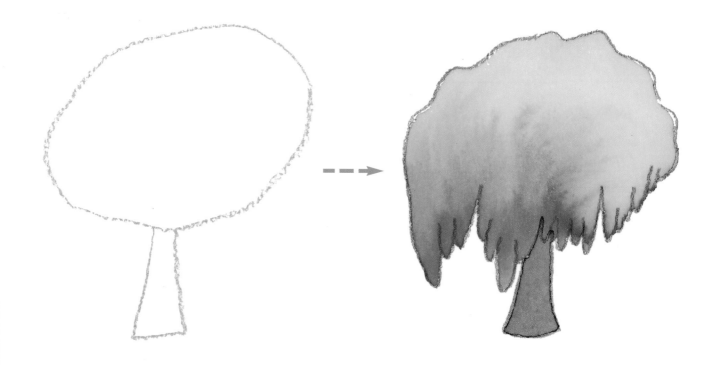

En la selva hay una gran variedad de árboles.
Fíjate en las diversas formas que tienen.
También puedes crear nuevas.

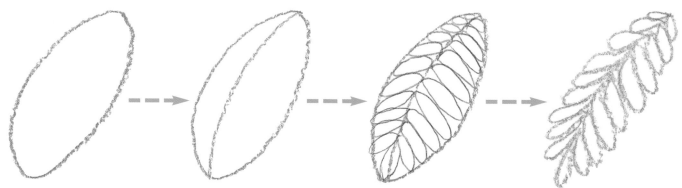

PALMERAS

Empezamos haciendo las hojas.

Con ellas representaremos
un tipo de palmera.

FÍJATE EN EL TRONCO:
Tienes que ir repitiendo
la misma forma cada vez
un poco más pequeña.

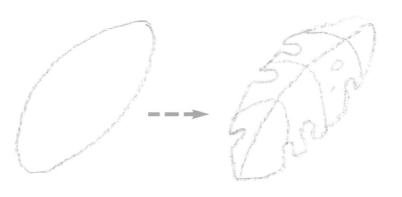

Para dibujar otro tipo de palmera puedes hacer las hojas diferentes.

Si dibujas más delgada la parte superior del tronco, la palmera parecerá más alta.

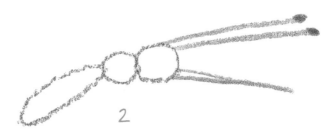

INSECTOS

1

2

Donde hay mucha vegetación,
hay muchos insectos.
Aquí tienes la forma más fácil de hacer
un mosquito y un escarabajo.

3

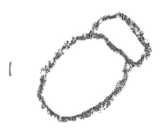

1

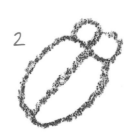

2

3

Si cambias los colores
obtendrás una mayor
variedad.

4

RECUERDA QUE LOS
INSECTOS TIENEN
6 PATAS.

Las mariposas, cuanto más color
tengan, más vistosas serán.

13

ARAÑAS

1

2

3

4

Las arañas tienen 8 patas y hay de muchos tipos y medidas:
peludas, rojas, venenosas...

¡FÍJATE EN LAS PATAS!

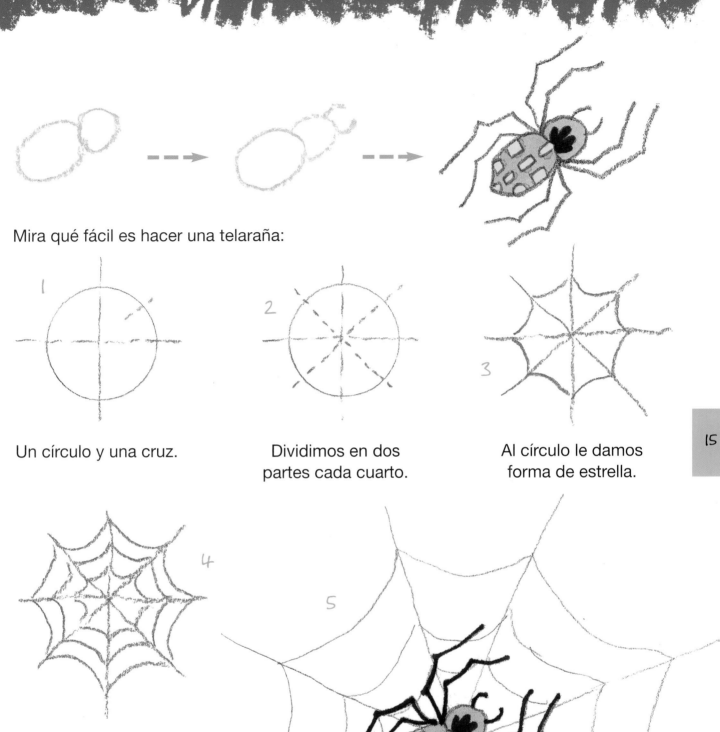

Mira qué fácil es hacer una telaraña:

1 Un círculo y una cruz.

2 Dividimos en dos partes cada cuarto.

3 Al círculo le damos forma de estrella.

4 Añade estrellas concéntricas y dibuja la araña encima.

5

SERPIENTE

Un círculo y una línea ondulada.

Señalamos los ojos y la boca y le damos grosor.

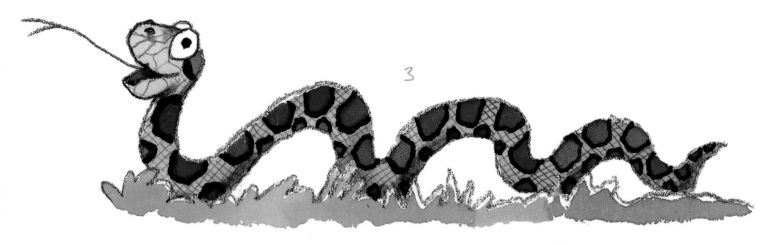

¡La pintamos!

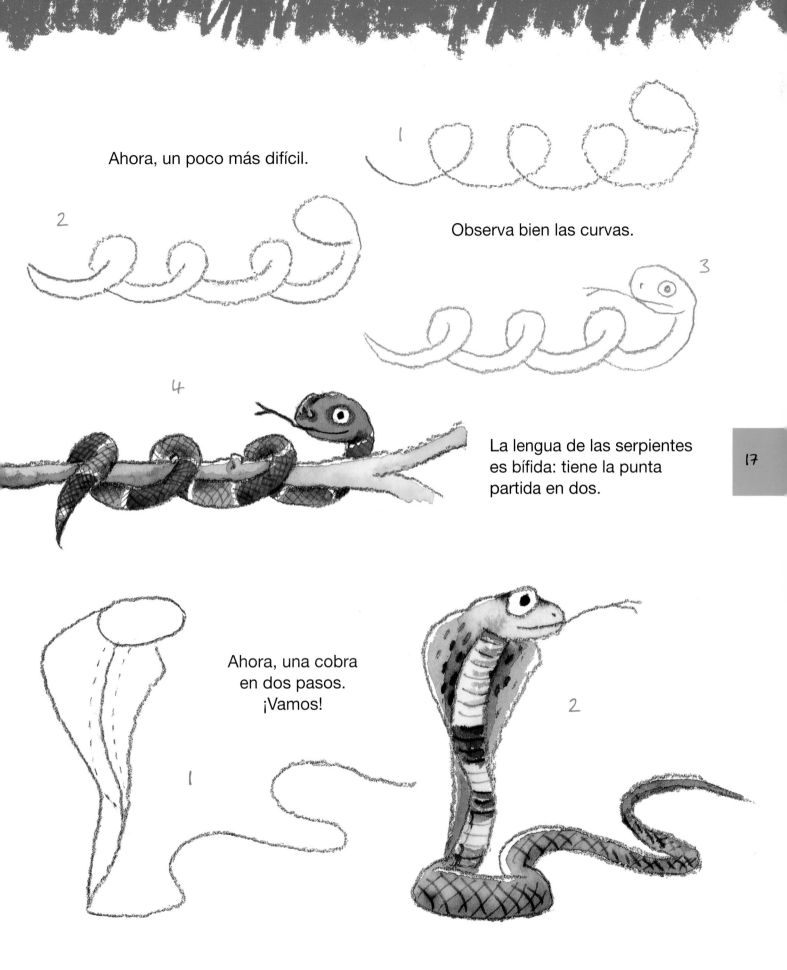

Ahora, un poco más difícil.

Observa bien las curvas.

La lengua de las serpientes es bífida: tiene la punta partida en dos.

Ahora, una cobra en dos pasos. ¡Vamos!

CAMALEÓN Y LAGARTO

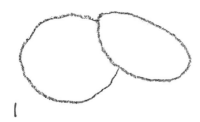

1

Dos óvalos.

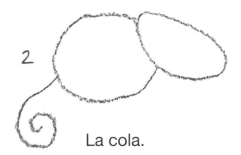

2

La cola.

3

Marcamos las
patas.

4

El camaleón tiene
los ojos independientes el uno del otro,
por lo que puede mirar a la derecha con
uno y hacia atrás con el otro.

¿LO SABÍAS?

También tiene la capacidad de
cambiar de color. Este fenómeno
se denomina mimetismo.

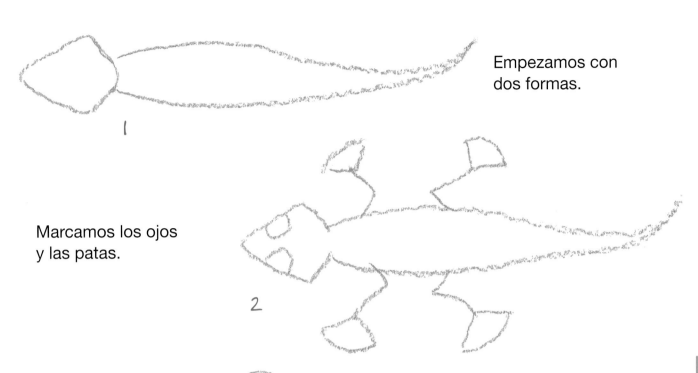

Empezamos con
dos formas.

1

Marcamos los ojos
y las patas.

2

3

¡Perfeccionémoslo!

Hay lagartos de
colores muy vistosos
y variados.

LOS LAGARTOS SON
MUY ÁGILES
TREPANDO POR LOS
TRONCOS.

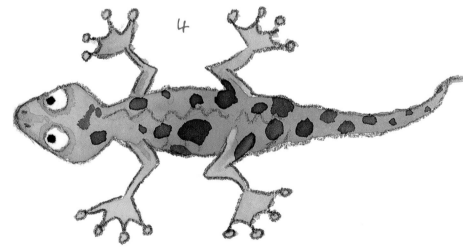

4

TORTUGA

Ahora hay que seguir unos pasos.
Sólo tienes que observar.

¿Sabías que las tortugas
no tienen dientes?

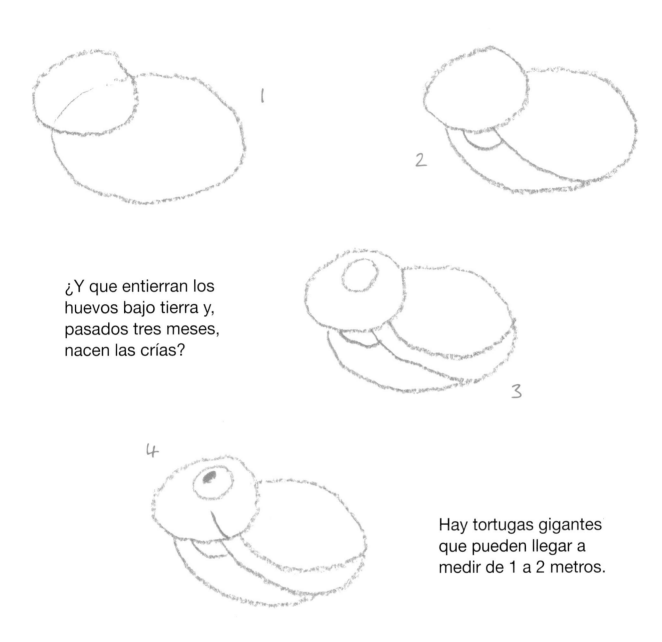

1

2

¿Y que entierran los huevos bajo tierra y, pasados tres meses, nacen las crías?

3

4

Hay tortugas gigantes que pueden llegar a medir de 1 a 2 metros.

5

6

COCODRILO

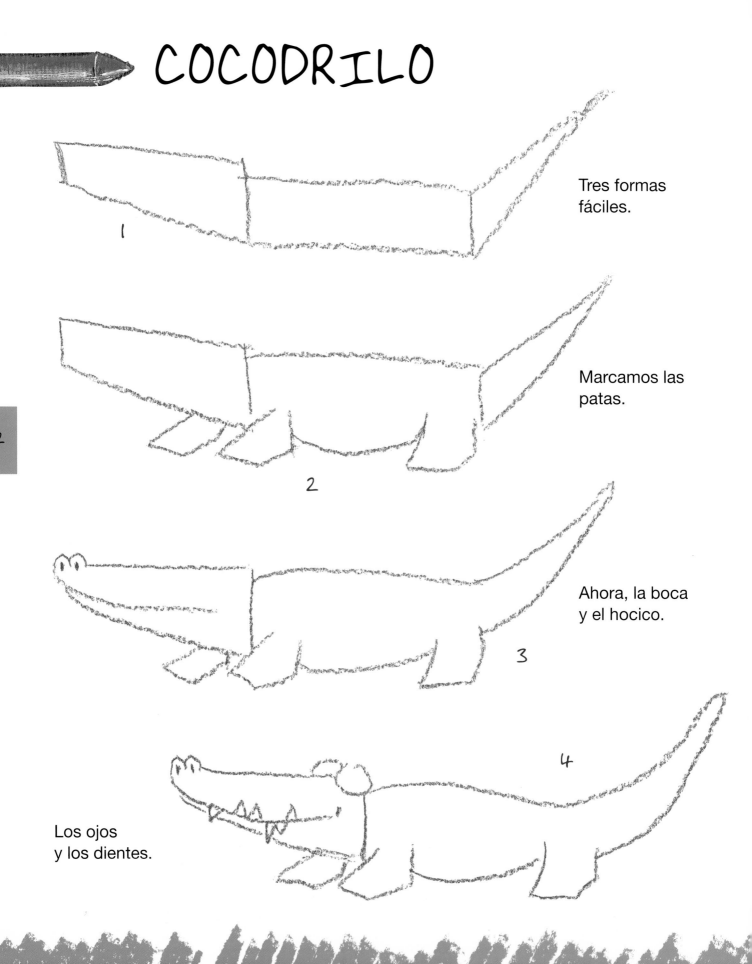

Tres formas
fáciles.

1

Marcamos las
patas.

2

Ahora, la boca
y el hocico.

3

4

Los ojos
y los dientes.

Y la barriga.

5

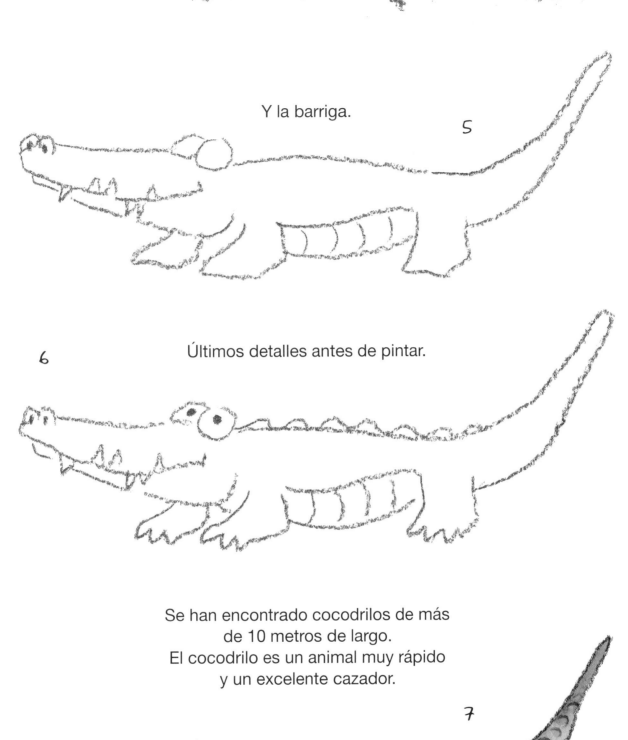

6

Últimos detalles antes de pintar.

Se han encontrado cocodrilos de más
de 10 metros de largo.
El cocodrilo es un animal muy rápido
y un excelente cazador.

7

COLIBRÍ Y TUCÁN

El colibrí es el pájaro más pequeño que existe. La variedad más pequeña mide 5 centímetros.

Tiene un pico muy largo para poder sacar el néctar de las flores con que se alimenta.

1

2

Seguimos tres pasos para hacer
un tucán y lo pintamos.

¿Sabías que el tucán para comer
tira los frutos al aire y los recoge
con el pico?
Como si estuviese jugando.

3

4

LORO

1

Dos formas.

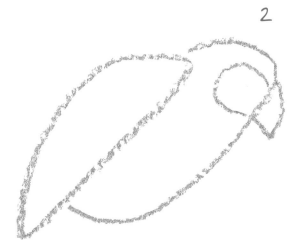

2

El pico y el ojo.

3

Las patas y la cola.

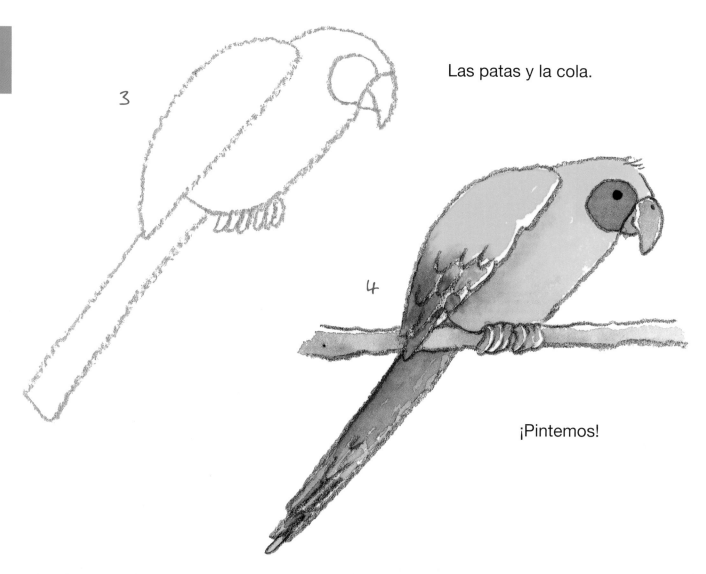

4

¡Pintemos!

1

2

Ahora, en tres pasos.
¡Obsérvalos atentamente!

3

EL LORO COME
SEMILLAS,
FRUTOS Y HOJAS.

AVE ZANCUDA

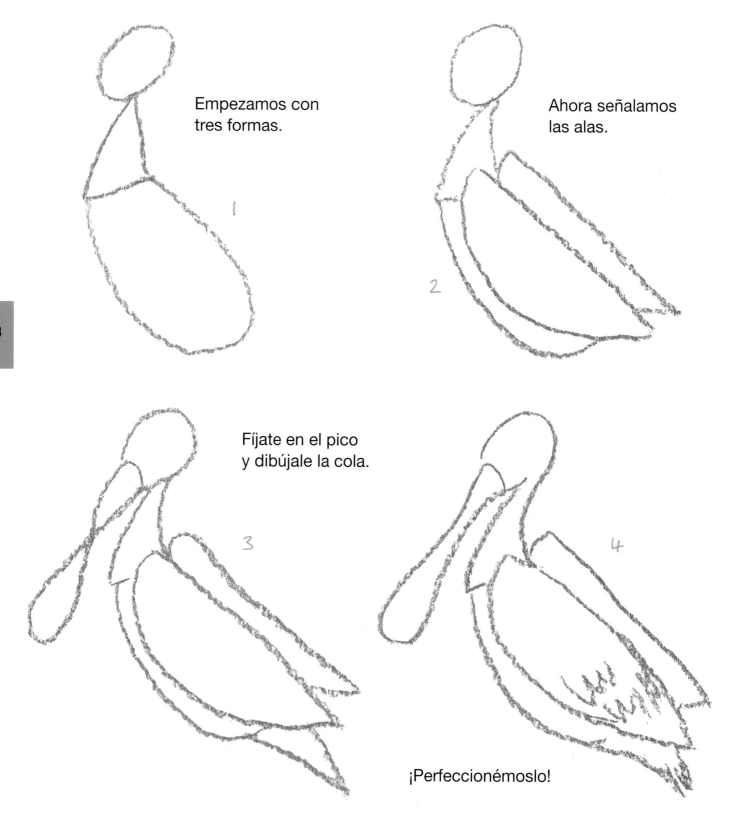

Empezamos con
tres formas.

1

Ahora señalamos
las alas.

2

Fíjate en el pico
y dibújale la cola.

3

4

¡Perfeccionémoslo!

Esta ave zancuda recibe el
nombre de «espátula» por
la forma de su pico.
Come crustáceos, larvas
y también insectos.
Vive en lagos y tierras pantanosas,
donde encuentra sus alimentos.

5

6

¡OBSERVA!
Las patas las
tenemos que hacer
largas. Por eso es un
ave zancuda.

BUITRE

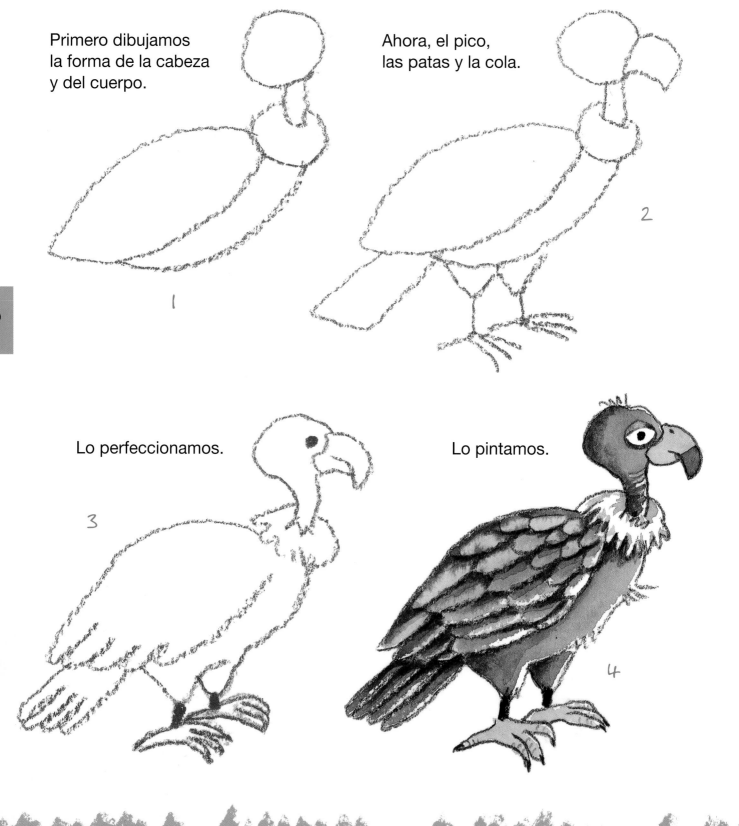

Primero dibujamos
la forma de la cabeza
y del cuerpo.

1

Ahora, el pico,
las patas y la cola.

2

Lo perfeccionamos.

3

Lo pintamos.

4

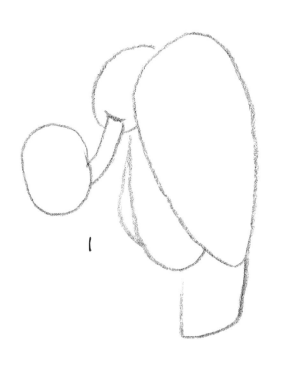

1

Hacemos otro buitre
en tres pasos.

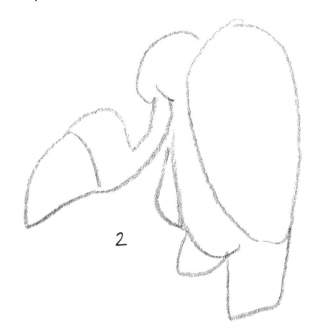

2

El buitre tiene el cuello largo para
poderlo poner fácilmente en el
interior de los animales de los que
se alimenta.

3

ANTÍLOPE

Observa, ¡iremos paso a paso!

Cabeza, cuerpo y cuello.

Le ponemos las orejas.

Le hacemos las patas.

El ojo, los cuernos y la cola.

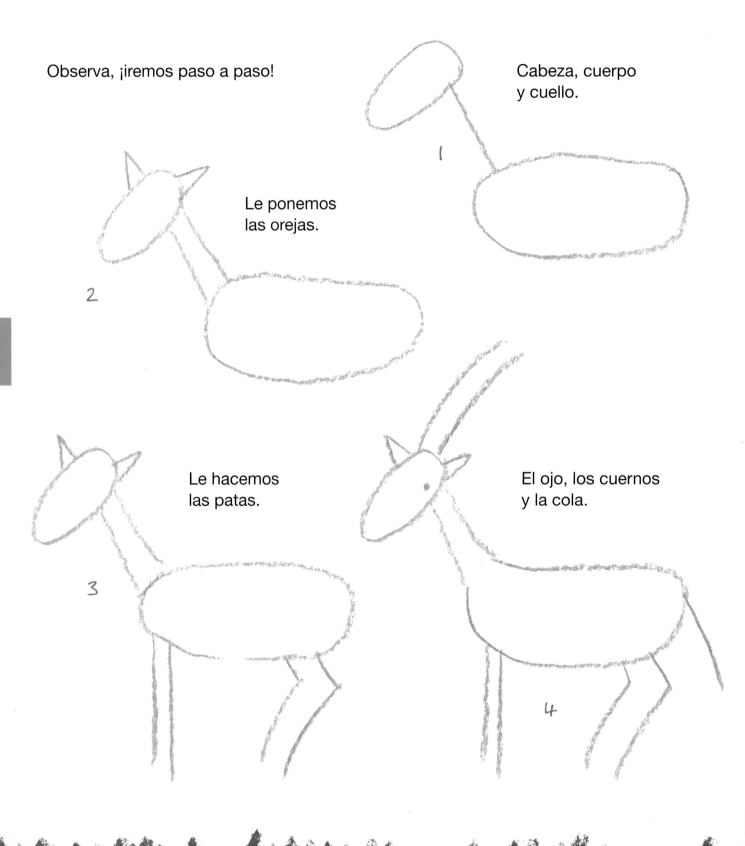

Damos grosor a las patas.

5

Lo perfeccionamos.

6

7

Lo pintamos.

BÚFALO

1

Como siempre, empezamos
de la forma más fácil.

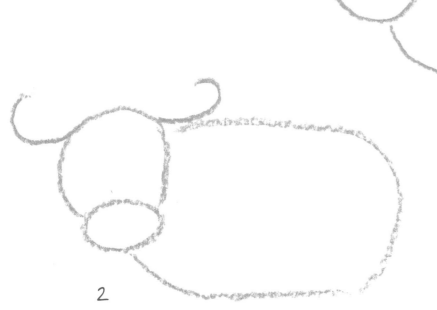

2

Ahora los cuernos
y el hocico.

3

Le dibujamos las patas.

Damos grosor a los cuernos
y a las patas.

4

Lo perfeccionamos.

5

6

Lo pintamos.

FÍJATE BIEN
EN LOS CUERNOS.

ELEFANTE

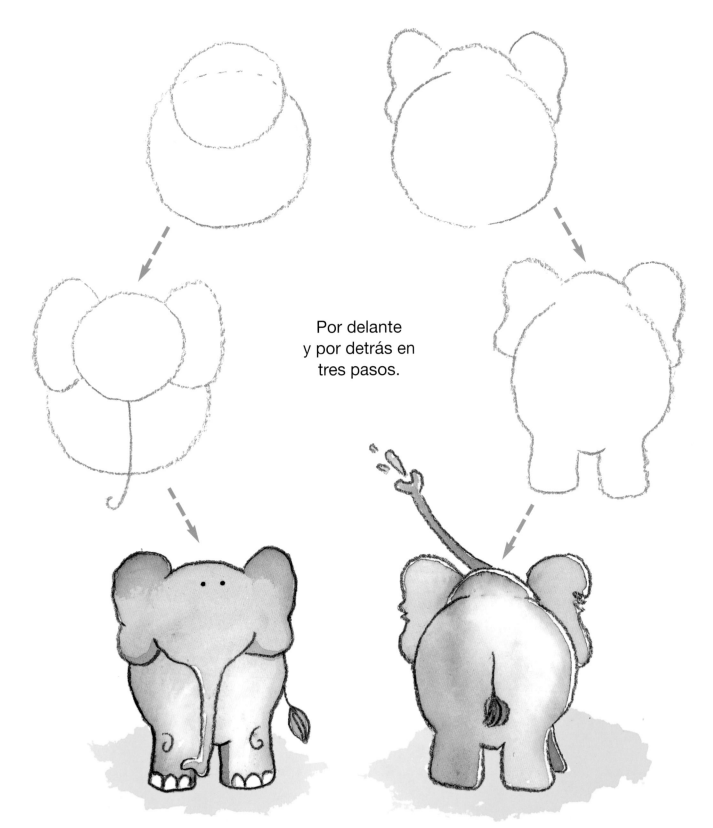

Por delante
y por detrás en
tres pasos.

Ahora de lado en seis pasos.

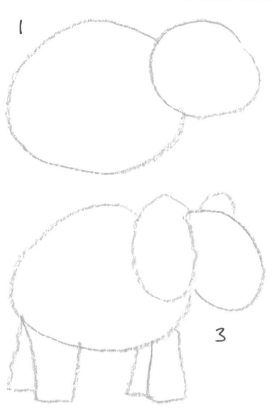

1

2

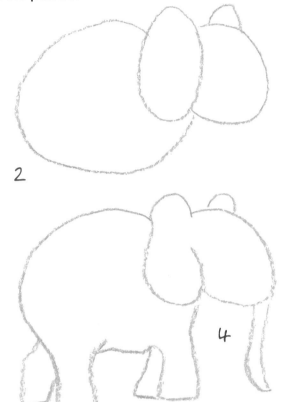

3

4

5

El elefante se alimenta de vegetales y, cuando tiene sed, excava la tierra para encontrar agua.

6

¿LO SABÍAS?
El elefante africano tiene las orejas más grandes que el asiático.

LEÓN

Empezamos con dos formas sencillas.

Le añadimos orejas, ojos, hocico y boca.

Dibujamos el cuerpo.

Le ponemos la cola y las uñas.

Lo acabamos con la melena y los bigotes. Ahora ya podemos pintar.

5

6

HAGAMOS CAMBIOS:
Aquí tienes a tu león enfadado o de espaldas. ¿Se te ocurre algún otro?

HIENA

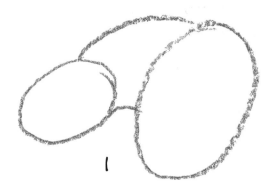

1

Tres formas, una para la cabeza
y dos para el cuerpo.

2

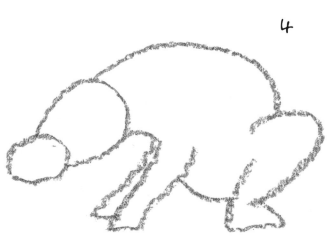

Dibujamos el hocico,
la cabeza y el cuerpo
con una sola forma.

3

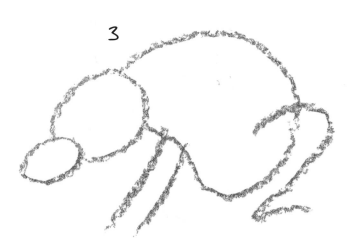

Dibujamos las patas.
Las traseras en forma de 2.

4

Les damos grosor.

5

Perfeccionamos el
hocico y señalamos
los dedos.

6

Dibujamos las orejas
y la boca.

7

Para finalizar,
le hacemos el ojo
y coloreamos.

8

HIPOPÓTAMO

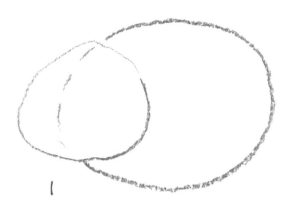

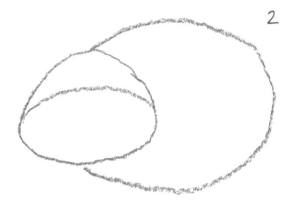

Aquí tienes la forma de dibujar dos hipopótamos en seis pasos.

El hipopótamo debe tener siempre la piel húmeda.

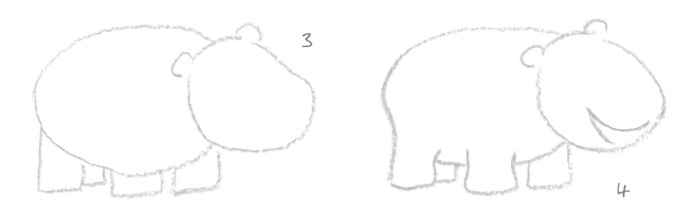

Se baña en el barro para refrescarse y librarse
de los parásitos.

JIRAFA

Dos formas
y una línea.

1

Damos grosor
al cuello.

2

Le dibujamos
las patas y las
orejas.

3

Damos grosor
a las patas.

4

44

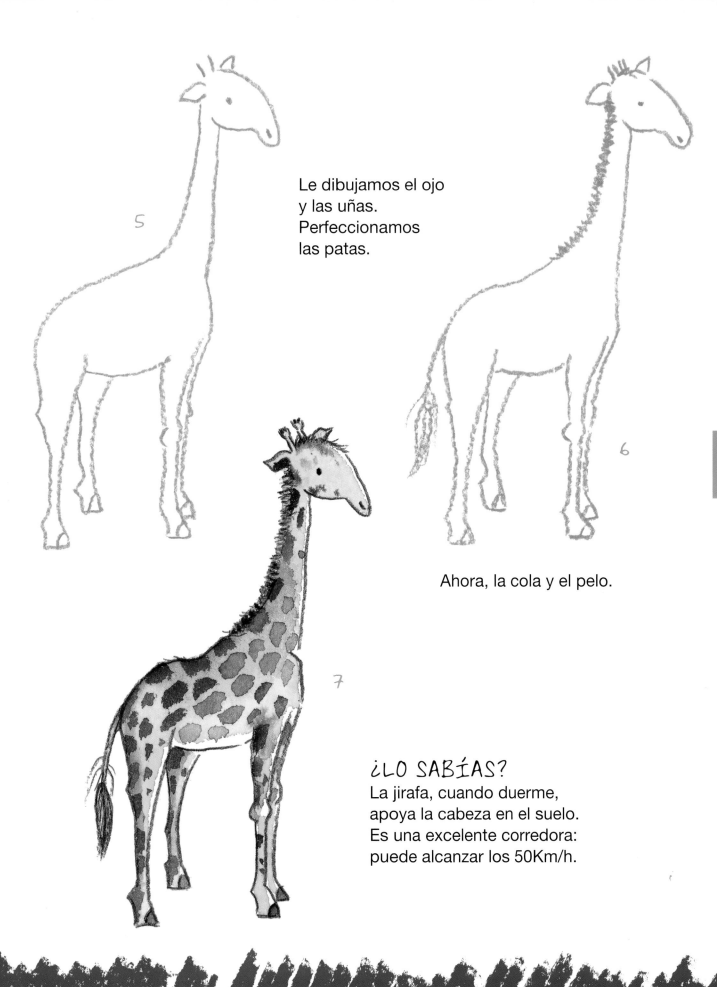

Le dibujamos el ojo
y las uñas.
Perfeccionamos
las patas.

5

6

Ahora, la cola y el pelo.

7

¿LO SABÍAS?
La jirafa, cuando duerme,
apoya la cabeza en el suelo.
Es una excelente corredora:
puede alcanzar los 50Km/h.

CHIMPANCÉ

1

Traza las
dos formas.

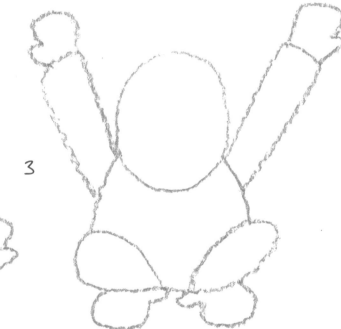

2

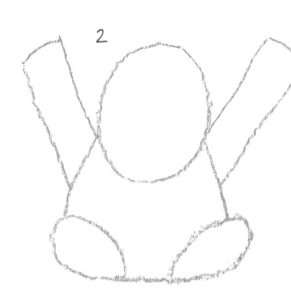

Dibuja brazos y patas.

3

Ahora las manos y los pies.

4

Ponemos las primeras líneas de la cara.

Acabamos la cara.

Le damos los últimos detalles.
Ten en cuenta que el chimpancé
es un animal peludo.

Lo subimos a un árbol
y... ¡pintamos!

LINCE

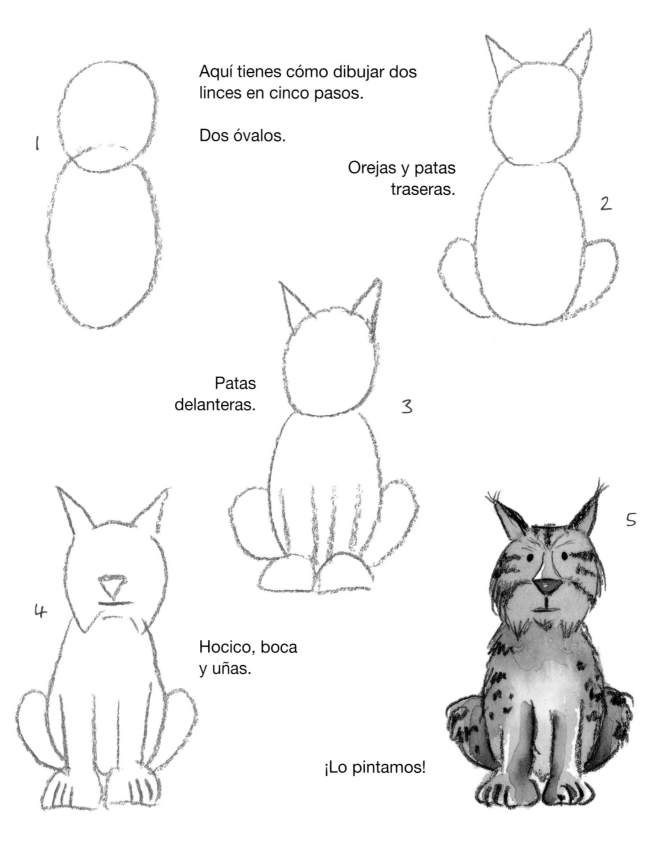

Aquí tienes cómo dibujar dos linces en cinco pasos.

Dos óvalos.

1

Orejas y patas traseras.

2

Patas delanteras.

3

Hocico, boca y uñas.

4

¡Lo pintamos!

5

Ya sabes cómo hacerlo.
Sólo tienes que ser un
buen observador.

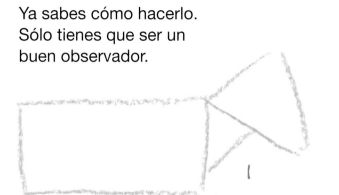

1

Tres formas.

2

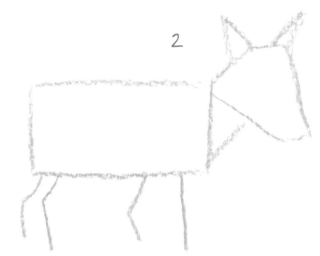

Dibujamos las patas
y las orejas.

3

4

Les damos grosor.

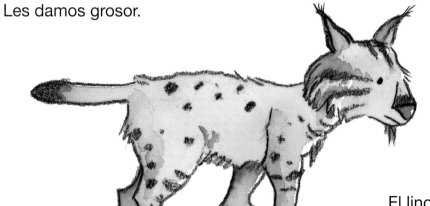

Dibujamos la cara.

5

El lince tiene muy
desarrollados la vista y el oído.

MONO

1

2

Hacer este mono es fácil.
¡No corras!

Como siempre, sigue la numeración.

¿CÓMO HA IDO?

3

4

5

Ahora un poco más difícil.

1

Vigila la
posición de
las patas.

2

3

4

Cuando dibujes la selva
no te olvides de las lianas
y una vegetación abundante.

OSO

Empezamos
con tres óvalos.

1

2

Damos forma al
cuerpo y a la cabeza
y le dibujamos la oreja.

Le pintamos las patas
y el hocico.

3

4

1

2

3

Ahora hacemos un osito en seis pasos.

4

5

6

RECUERDA:
El oso es muy ágil trepando a los árboles. La miel es uno de sus alimentos preferidos.
La osa madre es muy protectora con sus crías.

PANTERA

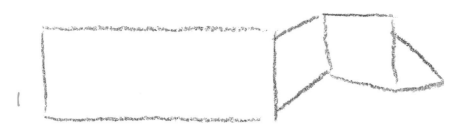

Empezamos con cuatro formas simples.

Dibujamos las patas.

Dibujamos la cabeza y la perfeccionamos.

¡La pintamos!

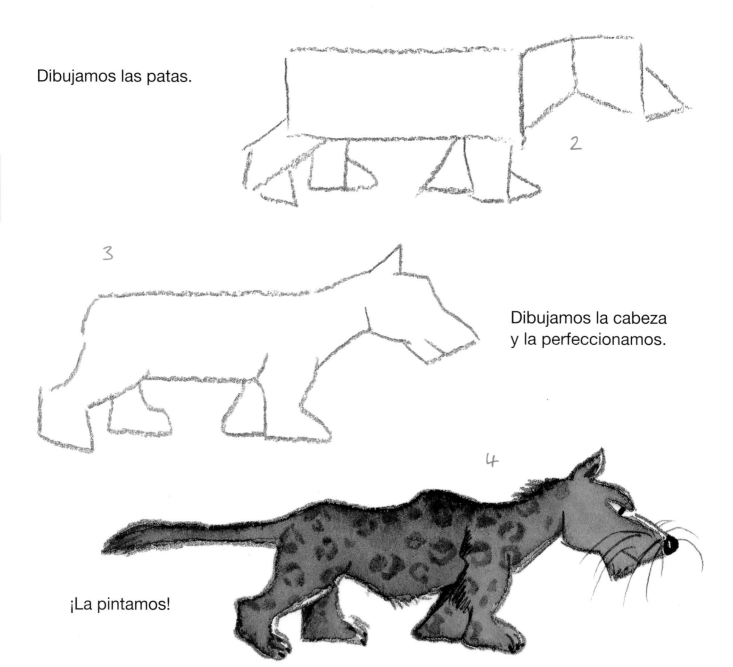

Ahora una pantera recostada. Empezamos igual que antes.

Fíjate en las patas.

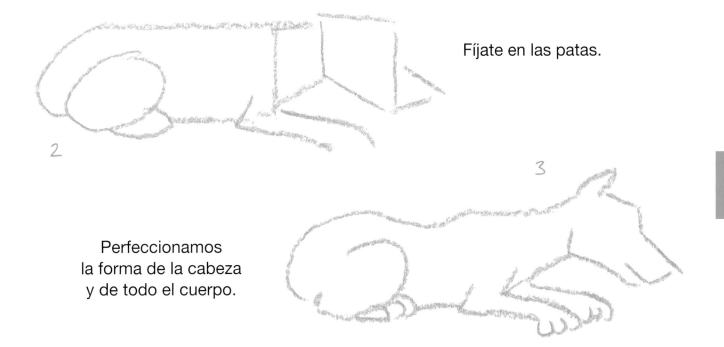

2

3

Perfeccionamos la forma de la cabeza y de todo el cuerpo.

¡LA PINTAMOS!

¿Sabías que la piel de la pantera negra es una variedad con el pelaje totalmente negro?

4

RINOCERONTE

Puedes hacer estos dos rinocerontes.

¡ADELANTE!

Sólo tienes que seguir estos seis pasos.

¿Sabías que las crías del rinoceronte
andan junto a su madre cogidos
de la cola?

TIGRE

1

Círculo, rectángulo
y triángulo.

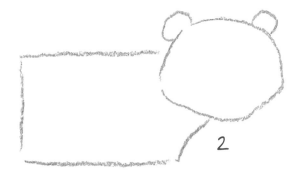

2

Le damos forma al cuerpo, a la cabeza
y le dibujamos las orejas.

58

3

Pintamos las patas.

4

Lo perfeccionamos.

5

Lo pintamos.

Ahora un tigre en movimiento.

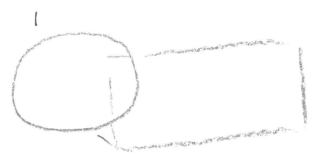

Círculo, rectángulo y triángulo.

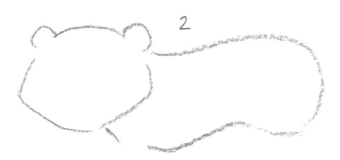

Le damos forma al cuerpo, a la cabeza
y le dibujamos las orejas.

Pintamos
las patas.

Hacemos el hocico y le
damos grosor a las patas.

Acabamos los detalles
y lo pintamos.

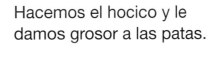

CEBRA

Dibujamos estas tres
formas geométricas.

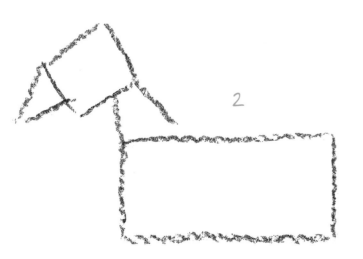

2

Ahora un triángulo más.

3

Empezamos a
darle forma.

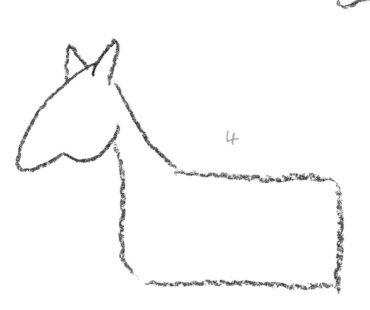

4

Dibujamos las orejas.

Señalamos dónde
van las patas.

5

6

Le damos grosor y dibujamos
el ojo, la crin y las uñas.
Le pintamos las rayas.

RECUERDA:
La cebra vive siempre junto
a otras cebras, antílopes
y jirafas.

7

TÓTEM

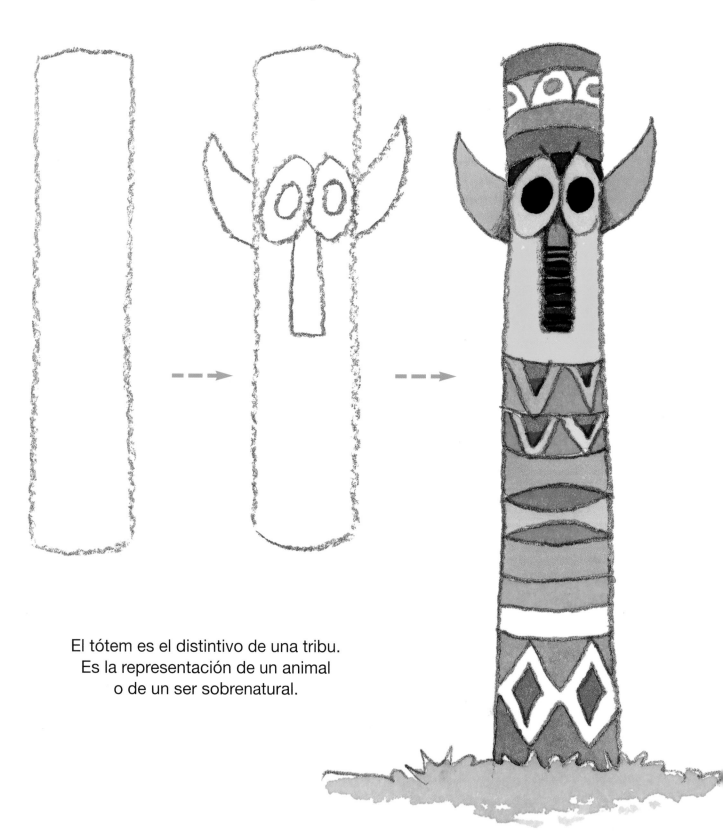

El tótem es el distintivo de una tribu.
Es la representación de un animal
o de un ser sobrenatural.

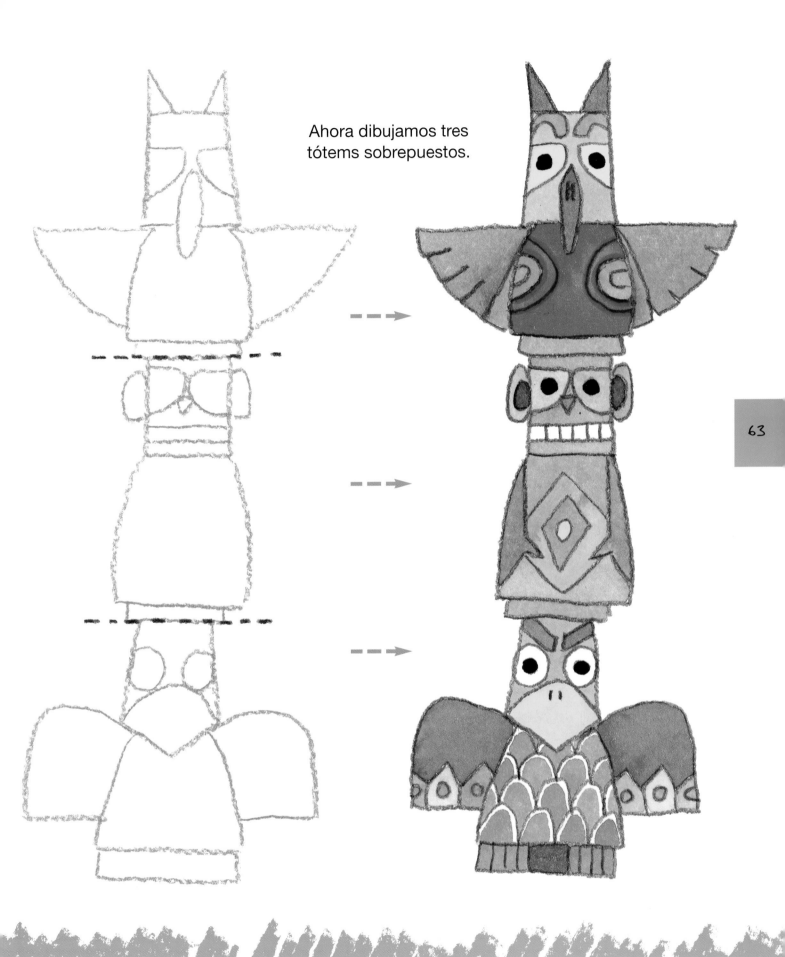

Ahora dibujamos tres
tótems sobrepuestos.

CABAÑA Y BARCA

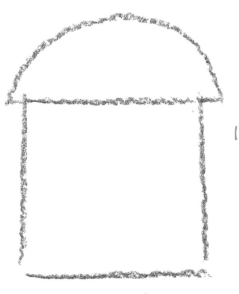

Dibujamos un cuadrado
y medio círculo.

1

2

Dibujamos la
mitad de un óvalo
para la puerta.

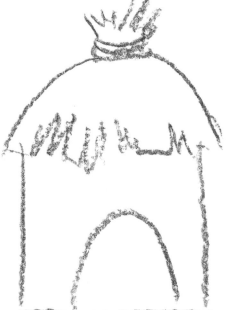

3

Le damos forma al tejado.

4

Lo ambientamos.

Ahora hacemos una barca en seis pasos.

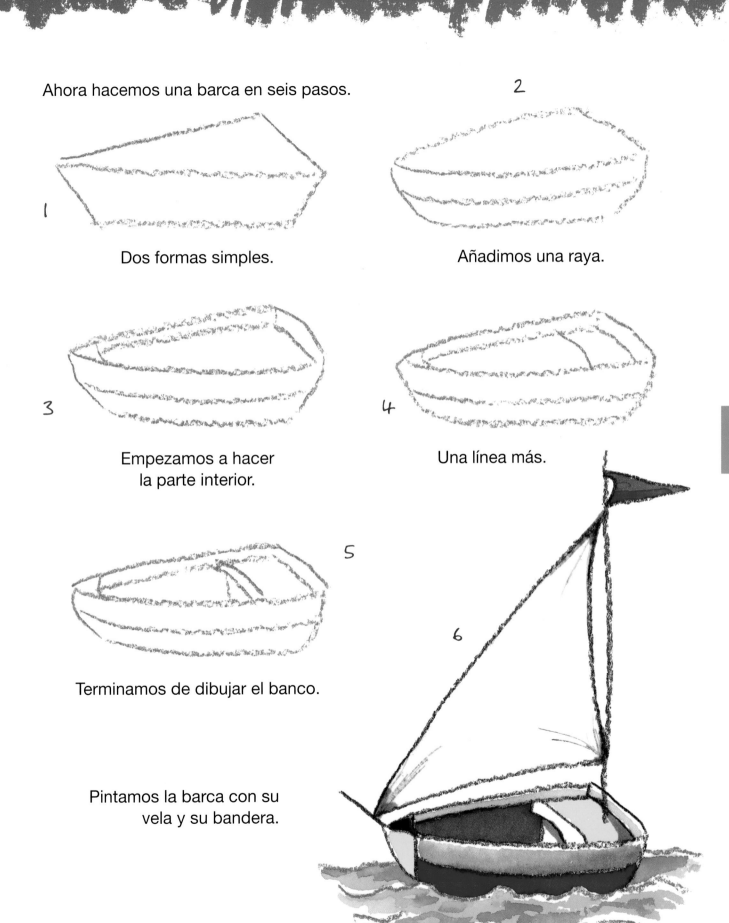

1 Dos formas simples.

2 Añadimos una raya.

3 Empezamos a hacer la parte interior.

4 Una línea más.

5 Terminamos de dibujar el banco.

6 Pintamos la barca con su vela y su bandera.

AVIONETA

Dibujamos una avioneta en 10 pasos.

1

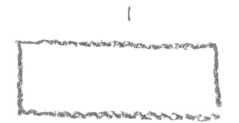

Primero, un rectángulo.

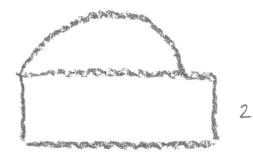

2

Ahora medio círculo.

3

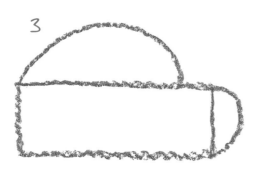

La parte frontal de la avioneta.

4

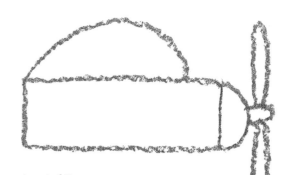

La hélice.

5

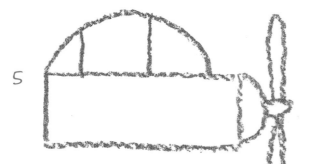

Dibujamos los cristales.

6

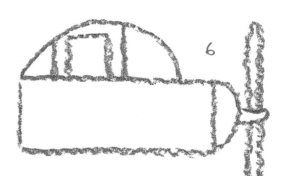

Hacemos la ventana.

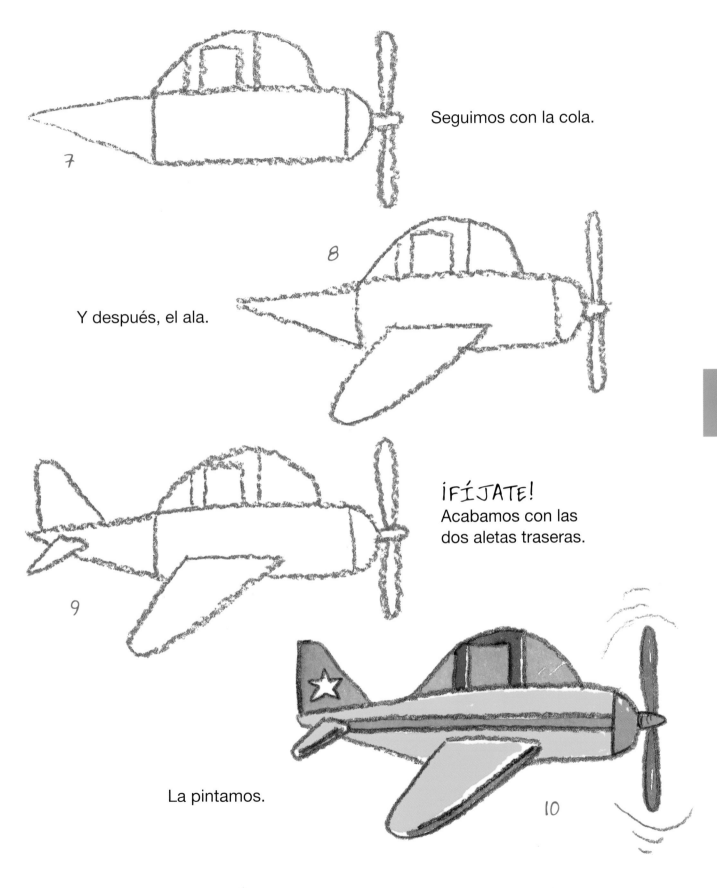

7

Seguimos con la cola.

8

Y después, el ala.

9

¡FÍJATE!
Acabamos con las
dos aletas traseras.

La pintamos.

10

CANOA

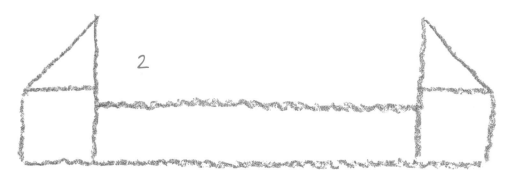

1

Empezamos con dos cuadrados y un rectángulo.

2

Añadimos dos triángulos.

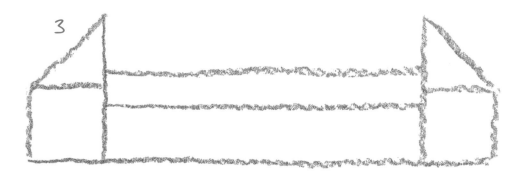

3

Ahora una raya más que nos proporcionará la sensación de capacidad.

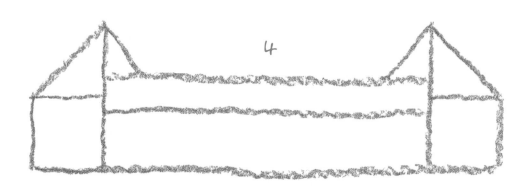

4

Dibujamos otros dos triángulos más pequeños.

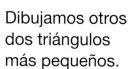

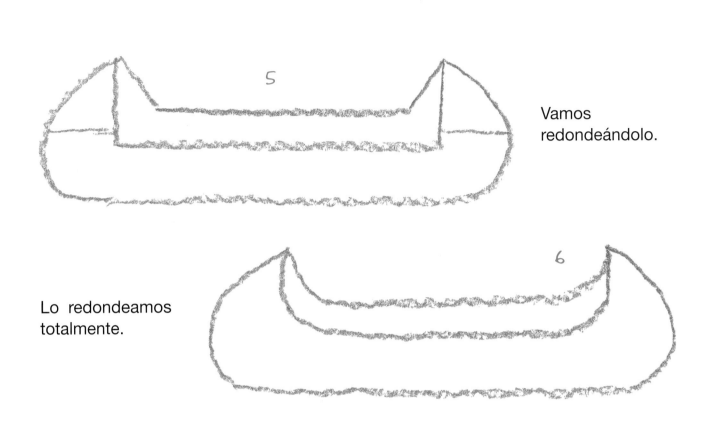

5

Vamos redondeándolo.

Lo redondeamos totalmente.

6

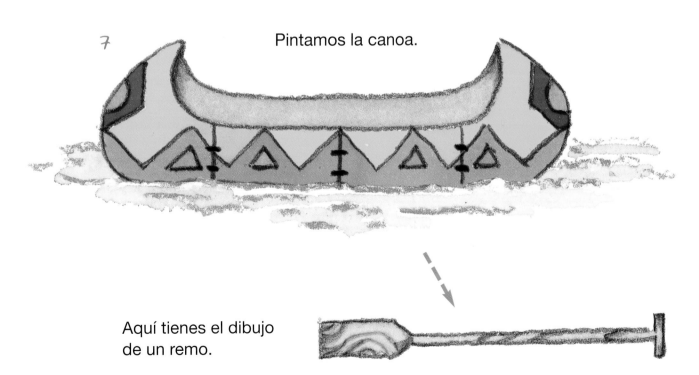

7

Pintamos la canoa.

Aquí tienes el dibujo de un remo.

HELICÓPTERO

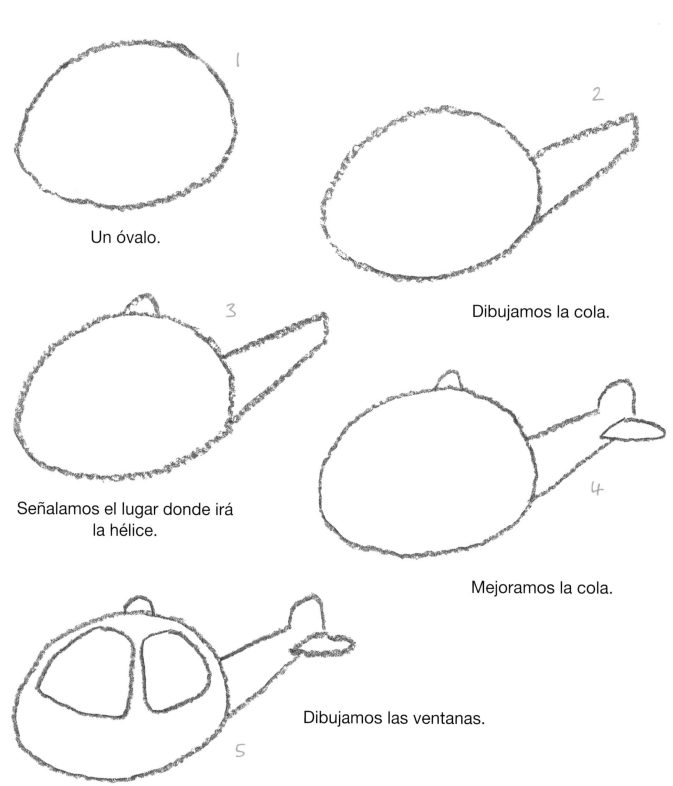

Un óvalo.

Dibujamos la cola.

Señalamos el lugar donde irá
la hélice.

Mejoramos la cola.

Dibujamos las ventanas.

Añadimos la hélice
en la parte frontal.

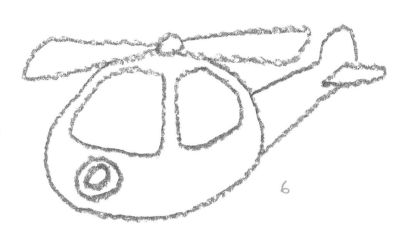

6

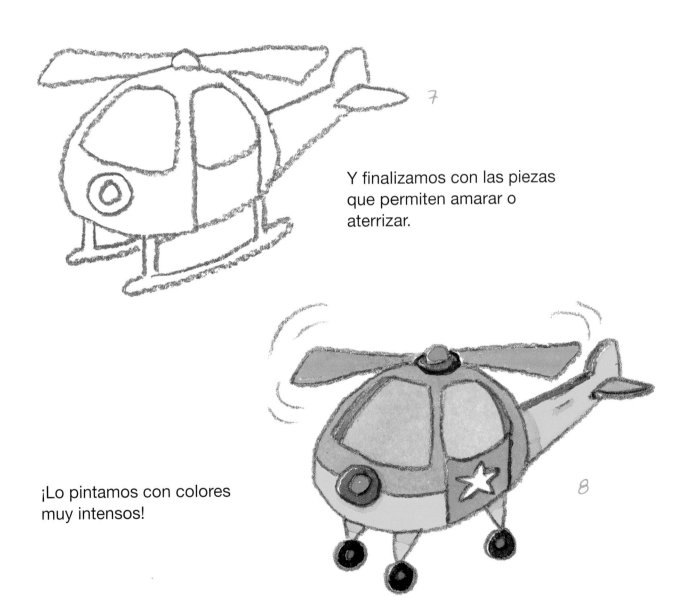

7

Y finalizamos con las piezas
que permiten amarar o
aterrizar.

¡Lo pintamos con colores
muy intensos!

8

JEEP

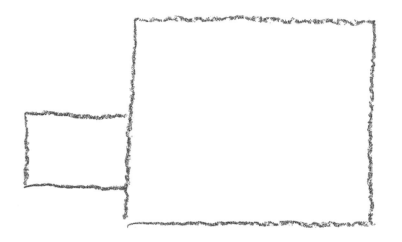

1

Empezamos con
dos rectángulos.

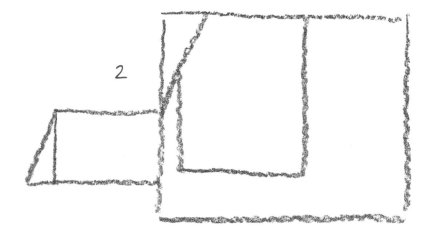

2

Continuamos con las
formas geométricas.

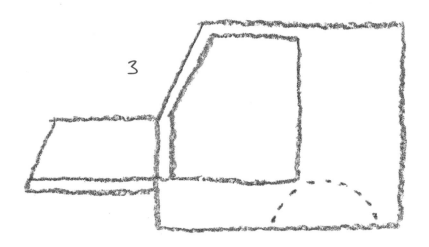

3

Borramos unas líneas
y dibujamos otras.

¡FÍJATE
MUY BIEN!

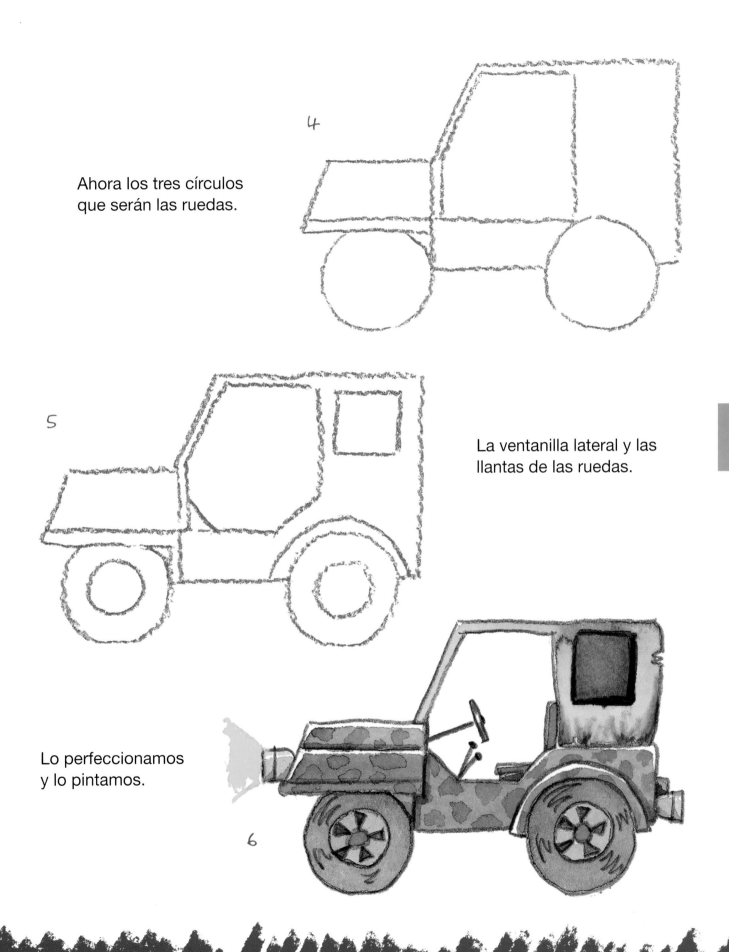

Ahora los tres círculos
que serán las ruedas.

4

5

La ventanilla lateral y las
llantas de las ruedas.

Lo perfeccionamos
y lo pintamos.

6

AFRICANO

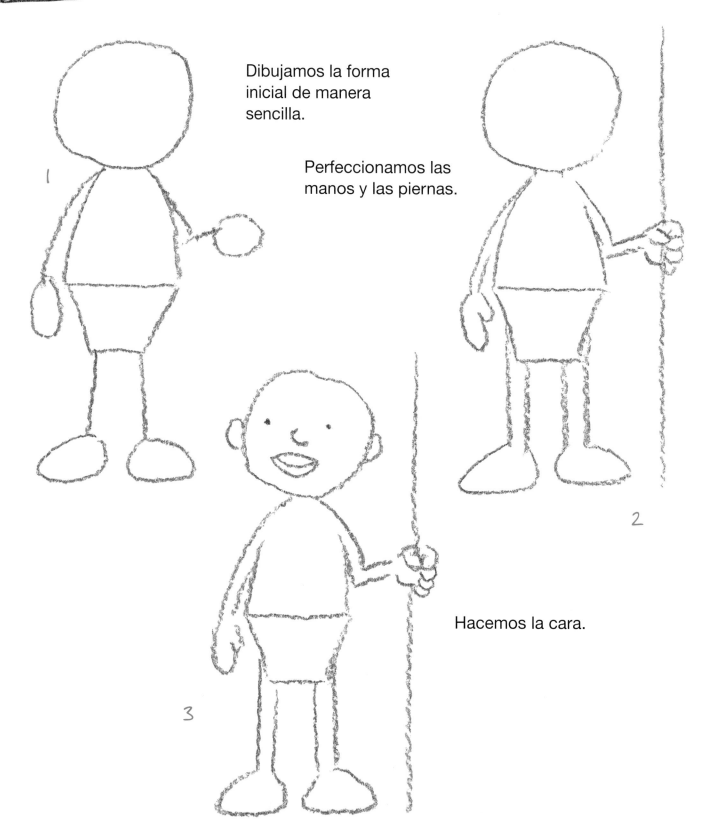

Dibujamos la forma inicial de manera sencilla.

Perfeccionamos las manos y las piernas.

Hacemos la cara.

1

2

3

74

4

Unos cabellos rizados.

5

Perfeccionamos los pies y la lanza.

6

Lo pintamos y ambientamos.

CHAMÁN

Dibujamos la
cabeza, el cuerpo
y los tambores.

1

Le ponemos los
brazos y piernas.

2

3

Perfeccionamos los brazos.

4

Dibujamos la cara.

5

Ahora el cabello
y las manos.

Lo pintamos
y ambientamos.

6

BAILARINA

1

Dibujamos la forma inicial.

2

Damos grosor a los brazos y a las piernas.

3

Hacemos la cara.

Le dibujamos
unos
cabellos
rizados.

4

5

Perfeccionamos las
manos y los pies.

¡La pintamos!

6

RECOLECTORA DE PLANTAS

Dos formas simples, brazos, manos, piernas y pies.

Dibujamos la cesta.

1

2

3

Hacemos el cabello y damos volumen a los brazos y las piernas.

Ahora dibujamos los dedos y marcamos la falda.

4

Perfeccionamos.

5

¡Añadimos detalles y pintamos!

6

¡NO OLVIDES LLENAR EL CESTO DE PLANTAS!

INDÍGENA

Las formas iniciales
son muy sencillas.

1

Damos grosor a los
brazos y las piernas.
Dibujamos la ropa.

2

Perfeccionamos las
manos y los pies.

3

4

Ahora le hacemos la cara
y una rama bien larga.

Marcamos el pelo.

5

83

6

¡Perfeccionamos
y pintamos!

RECOLECTORA DE FRUTAS

Dos formas simples, brazos, manos, piernas y pies.

1

Dibujamos el cesto.

2

3

Perfeccionamos brazos, manos y piernas.

Ahora el pelo y los pies.

4

Llenamos el cesto de frutas y la vestimos.

5

Perfeccionamos y pintamos.

6

¡FÍJATE EN LOS DIBUJOS QUE LLEVA EN LA CARA!

EXPLORADOR

Mira qué fáciles son los tres primeros pasos.

Ahora las piernas.

La mochila.

El sombrero y unos
cuantos detalles más.

Lo perfeccionamos.

Lo pintamos con
colores distintos.

TONALIDAD

El mundo está lleno de colores, más de los
que podemos imaginarnos.
Hay que aprender a distinguirlos.

Un prado puede parecernos de un solo color verde, pero
si nos fijamos con atención encontraremos una gran variedad
de tonos: diferentes verdes, violetas, azules, ocres…
Cambian según quién lo mire.

¡IMAGÍNATE LA RIQUEZA DE COLORES
QUE HAY EN LA SELVA!

Estas manchas pertenecen a la piel
de distintos animales.

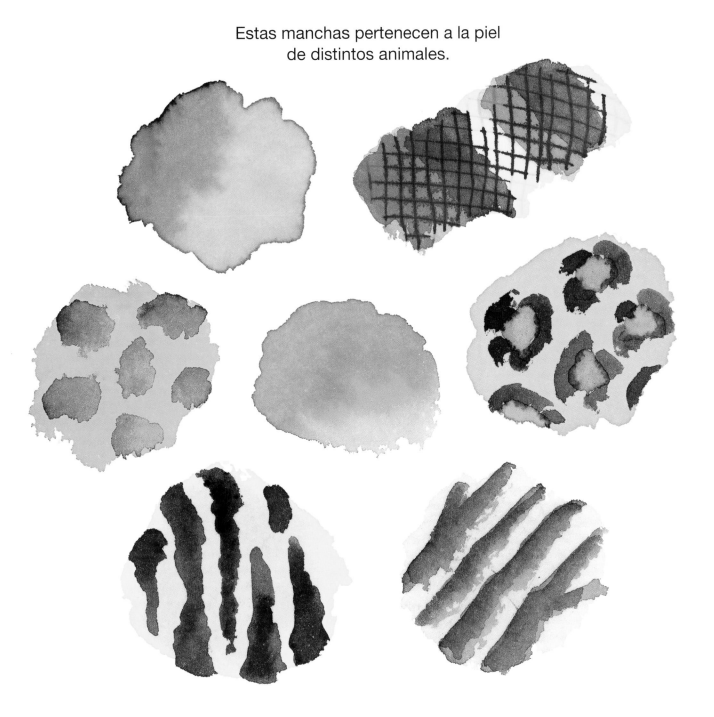

En un papel pinta algunas nuevas.

SI ESTÁS ATENTO,
ENCONTRARÁS MUCHAS.

DISTANCIA

Observa este grupo de elefantes.
Suponemos que todos son de
la misma medida y que no hay
ninguna cría.
Observa la diferencia entre
el elefante A y el B.

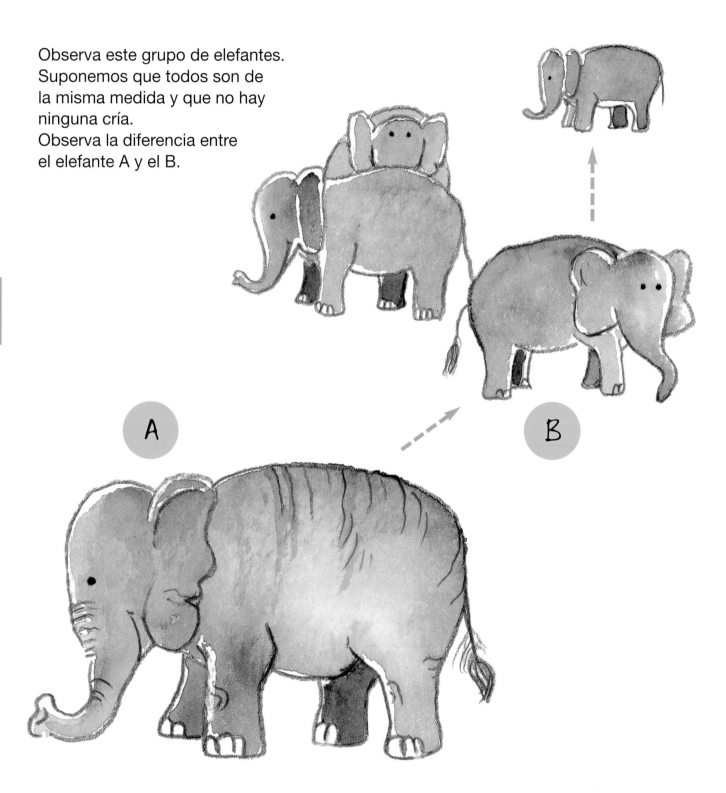

A

B

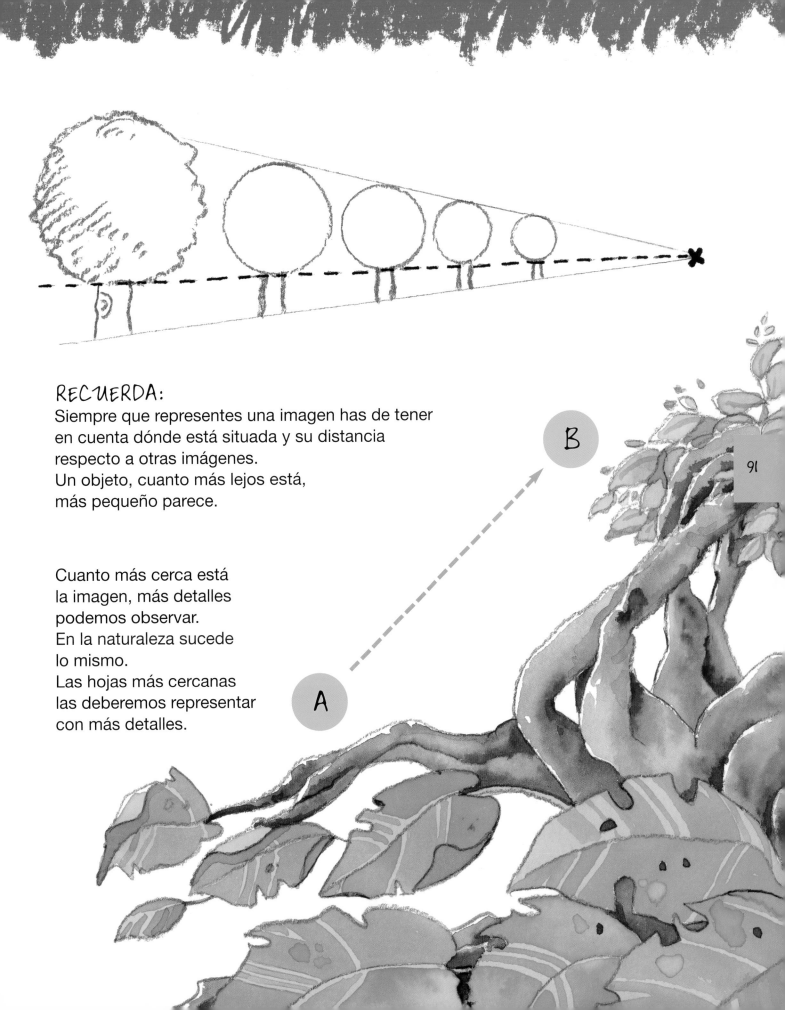

RECUERDA:
Siempre que representes una imagen has de tener
en cuenta dónde está situada y su distancia
respecto a otras imágenes.
Un objeto, cuanto más lejos está,
más pequeño parece.

Cuanto más cerca está
la imagen, más detalles
podemos observar.
En la naturaleza sucede
lo mismo.
Las hojas más cercanas
las deberemos representar
con más detalles.

B

A

REFLEJO

Un reflejo es una imagen que se reproduce en el agua,
en un espejo o en un cristal.
En esta página hay tres representados.

¡FÍJATE!
Si doblases el papel por la línea de puntos,
verías que la imagen A coincide con la B.

LÍNEA DE HORIZONTE

A

B

HAZ UN DIBUJO CON UN
SENCILLO TRAZO Y COMPRUÉBALO.

A

Aquí tienes la misma situación,
pero con una pequeña variante, la altura.
Mide con una regla la distancia del pico
a la línea del horizonte y luego mide
la del reflejo.

¿QUÉ HAS DESCUBIERTO?

LÍNEA DE
HORIZONTE

B

Ahora tienes la hierba
en la línea de tierra y el árbol
más elevado.
Observa las distancias.

RECUERDA:
La imagen reflejada
se desdibuja.

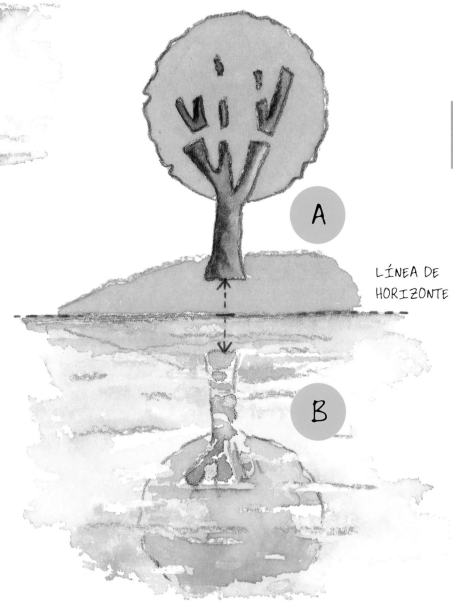

A

LÍNEA DE
HORIZONTE

B

JUGUEMOS

¡FÍJATE CON MUCHA ATENCIÓN!

¿A qué animales pertenecen estas partes del cuerpo?

Lagarto

Mariposa

Lince

Búfalo

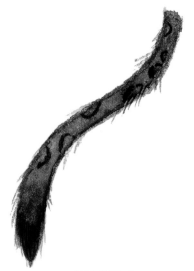

Pantera

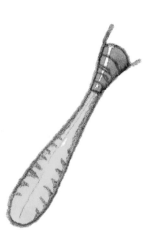

Espátula

Jirafa

94

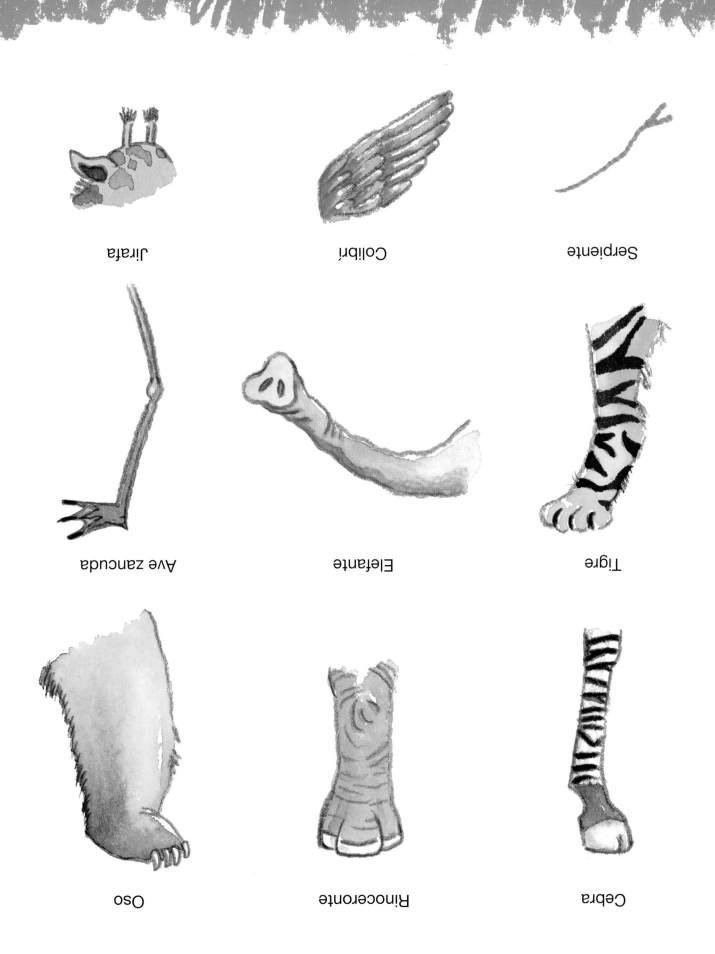

Jirafa

Colibrí

Serpiente

Ave zancuda

Elefante

Tigre

Oso

Rinoceronte

Cebra

APRENDE A DIBUJAR
LA SELVA

Texto e ilustraciones: Rosa M. Curto

Diseño y maquetación: Gemser
Publications, S.L.

© Gemser Publications, S.L. 2009

© de la edición: EDEBÉ 2009
Paseo de San Juan Bosco, 62
08017 Barcelona
www.edebe.com

ISBN: 978-84-236-5791-9

Impreso en China
Tercera edición